L'autobus magique

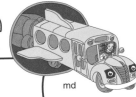

md

est programmé

Un livre sur les ordinateurs

 Les éditions Scholastic

D'après un épisode de la série télévisée animée
produite par Scholastic Productions Inc.,
inspirée des livres *L'autobus magique*
écrits par Joanna Cole et illustrés par Bruce Degen.

Adaptation du livre d'après la série télévisée
Scénario télé de John May, Ronnie Krauss,
George Arthur Bloom et Jocelyn Stevenson
Texte français de Lucie Duchesne

Données de catalogage avant publication (Canada)
Cole, Joanna
    L'autobus magique est programmé : un livre sur les ordinateurs
Traduction de : The magic school bus gets programmed.
ISBN 0-439-00506-X
1. Ordinateurs - Ouvrages pour la jeunesse. I. Degen, Bruce.
II. Duchesne, Lucie. III. Titre.
QA76.52.C6414 1999 j004 XC99-930849-1

L'autobus magique est une marque déposée de Scholastic Inc. Pour toute
information concernant les droits, s'adresser à Scholastic Inc.,
555 Broadway, New York, NY 10012.

Édition publiée par Les éditions Scholastic, 175, Hillmount Road, Markham
(Ontario) Canada L6C 1Z7.

4 3 2 1   Imprimé au Canada   9 / 9 0 1 2 3 4 / 0

Vous ne croirez jamais les choses étranges qui se passent dans la classe de Mme Friselis! Aujourd'hui, c'est au tour de notre classe d'ouvrir l'école. Nous arrivons en avance et nous prenons la liste de nos tâches : actionner la sonnerie, déverrouiller les portes, hisser le drapeau, préparer le mot de bienvenue pour la journée, ouvrir les gicleurs de la pelouse, allumer la machine à café du salon des professeurs, préparer les feuilles de présence... Il y en a tant à faire!

Pendant que nous nous demandons comment réussir à tout faire, le concierge nous apporte une énorme boîte. Il nous dit que le directeur de l'école veut que nous installions ce qu'il y a à l'intérieur.

Quand je vous disais qu'il arrivait des choses étranges dans la classe de Mme Friselis... Avant même d'avoir ouvert la boîte, Mme Friselis en surgit!

Bonjour, les enfants!

Puis elle nous annonce que le nouveau supergénial ordinateur du directeur est arrivé.

— Un ordinateur! s'écrie Carlos. Ça y est! L'ordinateur va faire le travail à notre place!

Carlos a parfois de bonnes idées, et cette fois-ci, c'est une idée géniale.

D'abord, nous branchons l'écran (qu'on appelle moniteur). Ensuite nous branchons le clavier dans l'ordinateur. Nous branchons aussi la souris et l'imprimante. Carlos allume l'ordinateur, mais ça ne donne rien.

— Jusqu'ici, explique Mme Friselis, cet ordinateur ne peut rien faire. Il a besoin d'instructions pour fonctionner.

— Mais nous ne savons pas comment lui donner des instructions, dit Carlos. Il nous faut un expert en informatique.

Il ne peut faire notre travail que si nous savons le faire fonctionner.

Nous sommes ravis lorsque la personne dont nous avons exactement besoin arrive dans notre classe, en fauteuil roulant. C'est le petit frère de Carlos, Miguel, l'expert en informatique! Heureusement pour nous, Miguel est arrivé à l'école plus tôt ce matin pour faire le ménage de son pupitre.

Miguel ne perd pas une seconde. Il se met à brancher des câbles dans l'ordinateur. Il nous dit comment brancher les extrémités libres des câbles dans la sonnerie, les portes, le mât du drapeau, le haut-parleur, le gicleur et la machine à café. Lorsque nous revenons dans la classe, Miguel explique à Carlos comment enregistrer le mot de bienvenue.

Voici le message de Carlos :

— Bonjour tout le monde! Ça va? Merci d'être venus à l'école, et bonne journée!

Ensuite, Miguel branche le magnétophone dans l'ordinateur.

Miguel tape sur le clavier. Nous ne comprenons pas les caractères qui apparaissent à l'écran, mais nous savons qu'il dit à l'ordinateur d'exécuter toutes nos tâches.

— Maintenant, je vais enregistrer ce que j'ai tapé, dit Miguel.

Instructions écrites et stockées.

À l'écran, nous voyons le dessin d'une petite école. Il y a aussi des dessins qui représentent chacune de nos tâches. Mme Friselis nous explique que ces dessins s'appellent des *icônes*. Pour choisir une tâche que l'ordinateur effectuera, on utilise la souris pour pointer une icône. Ensuite, on clique sur la souris.

— Vous n'avez qu'à cliquer sur l'icône «école» et tout le travail sera fait, dit Miguel.

Nous avons peine à y croire : toutes les tâches se font en même temps. Nous entendons même le mot de bienvenue de Carlos par le haut-parleur.

Bonjour tout le monde!
Ça va?

COPIE
COPIE
COPIE

— Bravo, Miguel! nous écrions-nous en chœur.

Mais Miguel ne nous écoute pas. Il regarde le lecteur de disque. On dirait qu'il veut entrer DANS l'ordinateur!

— J'aimerais tellement savoir à quoi ça ressemble, à l'intérieur, dit-il. Savoir ce qui se passe lorsque j'ai tapé mes instructions.

Mme Friselis s'apprête à faire entrer Miguel à l'intérieur de l'ordinateur! Elle lui donne un casque d'écoute.

— Tu vas avoir ta visite guidée, je te le promets. Et comme la façon la plus rapide de donner de l'information aux ordinateurs est une disquette, prends un risque et transforme-toi en disquette!

Le fauteuil roulant de Miguel se met à tourner sur lui-même. En tournant, il s'aplatit jusqu'à ce que Miguel se transforme en disquette! Puis, comme par magie, la disquette entre directement dans le lecteur de l'ordinateur.

Attention, cher lecteur de disque, j'arrive!

Nous regardions l'ordinateur — avec Miguel à l'intérieur, quand tout se dérègle. La sonnerie retentit de nouveau, on entend encore une fois le mot de bienvenue de Carlos. De la fenêtre, nous voyons le drapeau qui monte et descend le long du mât et le gicleur se met en marche juste devant le concierge. L'ordinateur accomplit toutes nos tâches une nouvelle fois!

Oh non! L'ordinateur accomplit toutes nos tâches une troisième fois! En fait, il refait nos tâches à chaque minute! Nous avons un sérieux problème.

— Il faut entrer dans l'ordinateur et en sortir Miguel avant que le directeur arrive dans la classe, propose Pascale.

— Bonne idée! dit Frisette, qui a de nouveau cette lueur inquiétante dans les yeux.

Vous savez que notre autobus est magique, et comme un bon chien, quand Frisette le siffle, il arrive.

Nous montons tous à bord de l'autobus, sauf Jérôme. Il a proposé de rester en classe au cas où le directeur arriverait plus tôt que prévu.

Pendant que nous commençons à rapetisser, je me dis que j'aurais dû faire comme lui...

Alors, c'est là qu'atterrit la disquette?

Au disqueterre!

— Disque, disquette, l'autobus nous transformera en disquette, chante Mme Friselis. Vous pouvez deviner ce qui se passe alors!

Dans le lecteur de disque, un moteur nous fait tourner très vite. Puis quelque chose qui ressemble à une brosse à dents de métal s'abaisse immédiatement sur la disquette.

— Qu'est-ce que ça vient faire? demande Carlos.

— C'est la tête de lecture-écriture. Elle lit les instructions et les autres informations stockées sur la disquette, explique Mme Friselis.

À mon ancienne école, on lisait, mais on ne se faisait pas lire!

— Elle va changer les informations contenues sur la disquette en signaux électriques et les envoyer à la composante principale de l'ordinateur.

La tête de lecture-écriture s'approche de plus en plus, et Frisette dit :

— Allez, autobus, fais ton travail!

Au même moment, l'autobus se transforme en un minuscule dirigeable — avec nous à l'intérieur! Maintenant, nous voyons beaucoup mieux l'intérieur de l'ordinateur, mais nous ne trouvons pas Miguel.

— Attendez! dit Catherine. Miguel voulait trouver ce qui arrivait à ses instructions, pas vrai? Et les instructions, ce sont des informations, non? Et les informations, ce sont ces signaux clignotants, n'est-ce pas? Alors suivons les signaux et nous trouverons Miguel!

Pouvez-vous croire que les issues de secours du toit de l'autobus s'ouvrent et que des planches à roulettes en tombent pour nous? Si vous avez déjà été dans la classe de Mme Friselis, ça ne vous étonnera pas.

Tout de suite après, nous filons en planche à roulettes à l'intérieur de l'ordinateur.

— Hé! où sommes-nous? demande Catherine.

— Vous voyagez sur les câbles qui vont du lecteur de disque à la carte-mère. C'est le cœur de l'ordinateur! crie Mme Friselis, toujours à bord du dirigeable.

La carte-mère est pleine de fils. Et les fils transportent des signaux électriques comme ceux qui venaient de notre disquette.

— Ce doit être comme ça que les informations voyagent à l'intérieur de l'ordinateur, dit Raphaël.

Ensuite, les informations nous amènent à un gros carré au milieu de la carte-mère. Mais toujours pas de Miguel en vue.

— Qu'est-ce qui se passe ici? demande Pascale. C'est plein de fils et de lumières.

Mme Friselis explique que le carré est l'élément de l'ordinateur qui s'occupe de tout ce qui se passe à l'intérieur.

— Il traite tous les éléments d'information qui entrent et sortent, dit-elle. C'est le microprocesseur.

Nous ne savons pas que Miguel est tout près, écoutant une visite guidée à l'aide de ses écouteurs. Voici ce qu'il entend :

— Vous venez d'entrer dans la mémoire vive de l'ordinateur.

Un ordinateur ne peut pas suivre une liste d'instructions s'il ne peut pas s'en souvenir. Ces puces de mémoire vive contiennent les instructions...

... et le microprocesseur les suit. Génial!

Pendant ce temps, à l'école, l'ordinateur continue à faire nos tâches encore et encore... Disons que Jérôme n'est pas enchanté... et le concierge non plus.

Mais que pouvons-nous faire? Nous ne trouvons toujours pas Miguel.

— Attendez, dit Pascale. Miguel a dit qu'il avait stocké ses instructions de façon permanente, vous vous souvenez? Alors où les informations sont-elles stockées?

— Dans le disque dur! lance Mme Friselis, du dirigeable. Nous allons le rejoindre!

Le voici!

On dirait qu'il va se mettre à tourner.

Miguel ne nous entend pas à cause de ses écouteurs, mais nous pouvons entendre la suite de la visite guidée.

— Bienvenue dans le lecteur de disque dur. Ici, le disque est rigide et non pas souple, comme les disquettes. C'est ici que les informations sont stockées pour pouvoir être réutilisées.

— Miguel! crie Hélène-Marie. Il faut que tu nous aides. L'ordinateur a un pépin.

— Un pépin? demande Miguel, qui a enfin retiré son casque d'écoute. J'ai tout vérifié, et ça fonctionne à merveille. Les informations arrivent du clavier et de la disquette et sont transformées en signaux électriques, exactement comme prévu. Et le microprocesseur décide de ce qu'il en fait.

— Nous devons sortir d'ici! hurle Pascale.

— Pas de problème, dit Miguel. Les ordinateurs envoient des informations tout comme ils en reçoivent. Nous allons sortir avec elles.

— Regardez! dit Mme Friselis, à bord du dirigeable. Il y a des informations qui partent vers l'imprimante, maintenant. Suivons-les!

Nous ne savons pas comment ça s'est passé, mais le dirigeable se transforme en plusieurs planches à roulettes, et nous suivons les informations vers l'imprimante. Frisette nous rejoint, et nous ne tardons pas à sortir par l'imprimante.

Dans mon ancienne école, nous imprimions, mais nous n'avons jamais été imprimés.

Jérôme était soulagé de nous voir sortir de l'imprimante!

Miguel s'installe immédiatement devant l'ordinateur, pendant que Mme Friselis nous explique qu'un ordinateur n'est pas vraiment intelligent. Ce n'est qu'une machine.

— Un ordinateur a besoin d'instructions qu'il peut comprendre pour savoir ce qu'il doit faire et comment le faire, dit-elle. Ces instructions constituent un programme.

— Et s'il y a une seule erreur dans le programme, ajoute Miguel, tout va de travers!

Et tout le monde peut faire des erreurs, même Miguel.

Je crois qu'il y a une première fois pour tout!

Miguel imprime son programme pour que nous puissions le vérifier.

— Voyons voir, dit-il. Sonnerie, portes, drapeau, mot de bienvenue, gicleurs, machine à café, feuilles de présence...

Ça dit «répéter toutes les minutes» au lieu de «répéter tous les jours»!

— Pas étonnant que toutes ces tâches soient répétées sans arrêt, dit Miguel. L'ordinateur fait exactement ce que je lui ai demandé.

— Comme tous les ordinateurs, ajoute Frisette.

Miguel change le mot *minute* pour le mot *jour*, enregistre sur le disque dur le nouveau programme corrigé, et tout est arrangé.

Juste à temps, parce que le directeur s'en vient nous voir.

— Qu'est-ce qui se passe ici? demande-t-il. L'école semble fonctionner toute seule!

Lorsque nous expliquons que l'ordinateur faisait nos tâches à notre place, le directeur a l'air fâché. Il nous dit qu'il nous avait demandé d'installer l'ordinateur, pas de le programmer.

— Je suppose que je devrais être content? demande-t-il.

Eh bien non!

Je suis fasciné!

Je vous avais dit qu'il se passait des choses étranges dans la classe de Mme Friselis. Vous me croyez, maintenant?

Lettres à Miguel

(Note de l'éditeur : ceci va t'aider à comprendre ce qui est vrai et ce qui est de la création pure et simple.)

Cher Miguel,

Ma petite sœur est un génie de l'informatique, comme toi. Elle m'a dit qu'on ne pouvait pas vraiment voir les signaux électroniques dans un ordinateur. Je suppose que l'illustrateur les a rendus visibles pour que nous, et les enfants de l'histoire, puissions les suivre.

La sœur d'un génie

Cher Miguel,

Nous avons demandé à notre professeur si on pouvait vraiment faire travailler un ordinateur à notre place, comme vous l'avez fait. Il dit que comme les ordinateurs peuvent allumer et éteindre des commutateurs, tout ce qui fonctionne avec un moteur peut être actionné par un ordinateur. Les instructions doivent évidemment être parfaites, mais tu le sais déjà, Miguel (ha ha!).

Un lecteur critique

Cher Miguel,

À l'école, nous avons déjà démonté un vrai ordinateur, et l'intérieur était beaucoup plus compliqué que dans le tien. Mais les principales composantes étaient les mêmes : lecteur de disque, carte-mère, microprocesseur, disque dur et mémoire vive. Pas de dirigeable ni de planches à roulettes.

Un lecteur réaliste.

Qu'y a-t-il à l'intérieur d'une disquette?
Une activité pour les parents et les enfants

Une disquette d'ordinateur de 3,5 pouces n'a pas l'a... souple. Pourquoi alors dit-on qu'elle est «souple»? Tu peux le découvrir en «disséquant» une disquette (vierge ou contenant des informations qui ne sont plus utiles — vérifie avant).

1. Examine ta disquette. Ce que tu vois est en fait l'enveloppe de la disquette. Le disque est à l'intérieur. La partie de métal est le volet. Fais glisser le volet pour voir le disque situé dessous. Le volet protège la disquette lorsqu'elle n'est pas dans l'ordinateur.

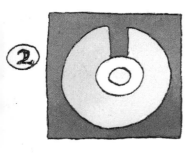

2. Avec un couteau à bout arrondi (et avec l'aide d'une grande personne), retire le volet. Ensuite, sépare les deux moitiés de l'enveloppe. (Ce n'est pas grave si l'enveloppe se brise.)

3. Voici le disque! C'est le cercle de plastique brun ou blanc avec un centre de métal. Prends le disque. Tu vois maintenant pourquoi on dit qu'il est «souple». Au centre, le cercle de métal maintient le disque en place pendant qu'il tourne.

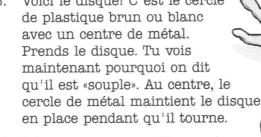

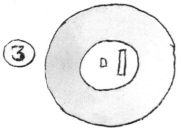

Oh oh! nous manquons d'espace! Si tu veux en savoir plus sur le fonctionnement d'une disquette, suis les conseils de Mme Friselis. Fais une recherche dans un livre sur les ordinateurs ou dans une encyclopédie.